カンタンなのにかわいい★

10分で イベント スイーツ

木村 遥 著

理論社

もくじ

夏
Summer

夏のドリンク

COLUMN 誰でもカンタン！ スタイリングのコツ

- 電子レンジ、オーブントースターの加熱時間は
  メーカーや機種によって異なりますので、様子を見て加減してください。
  また、加熱する際は付属の説明書に従って、
  高温に耐えられるガラスの器やボウルなどを使用してください。
- 液体を電子レンジで加熱する際、
  突然沸騰する（突沸現象）可能性がありますので、ご注意ください。
- はちみつは乳児ボツリヌス症にかかる恐れがありますので、
  1才未満の乳児には与えないでください。
- のあるところはヤケドしやすいので注意してください。

お菓子作りの道具を用意しよう

この本では、おもにこんな道具を使います。お菓子作りをはじめる前に、準備しましょう。

はかり

材料を分量どおりにはかるのはお菓子作りの基本。はかりは材料をのせて重さをはかる道具です。

計量スプーン

「大さじ１」「小さじ１」などの分量はこのスプーンではかります。「大さじ」は15mℓ、「小さじ」は5mℓです。

計量カップ

１カップは200mℓ。はかるときは、平らなところで目盛りの位置と同じ高さに目を合わせましょう。

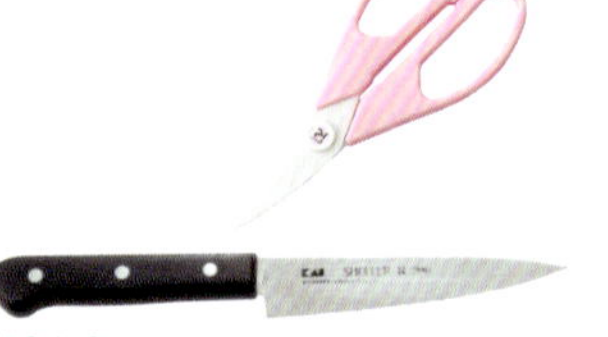

包丁・キッチンバサミ

どちらも材料を切るのに使います。マシュマロを切るときなどはハサミの方がうまく切れます。

ボウル

電子レンジなどで加熱できる耐熱性がおすすめ。大きさの違うものがあると、湯せんや冷やすのに便利。

バット

材料をのせたり、冷やしたりするのに使います。大小いろいろなサイズをそろえておくと便利です。

泡立て器

材料を混ぜたり、泡立てたりするのに使います。混ぜ加減に合わせてゴムベラと使い分けます。

ゴムベラ

大きめの材料をさっくり混ぜ合わせるときに使います。生地を残さずすくい取るのにも活躍します。

ザル

材料の水気をきったり、こしたりできます。ボウルにひっかけられるものや、サイズが違うものもあります。

粉ふるい

小麦粉、砂糖などの粉末をふるう道具です。ダマを取ったり、デコレーションに使ったりします。

フードプロセッサー

材料をペースト状にしたり、ジュース作りに使います。刃で手を切らないように注意してください。

フライパン

材料を焼くときに使います。よく熱してから材料を入れる時と、入れてから火をつけるときがあります。

ラップ

やわらかい材料の形を整えたり、材料が乾かないように覆ったり、加熱したりするときに使います。

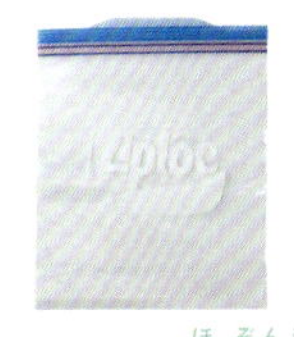

ジッパーつき保存袋

食品の冷蔵、冷凍に使える便利な保存袋です。本書では材料を凍らせるために使用します。

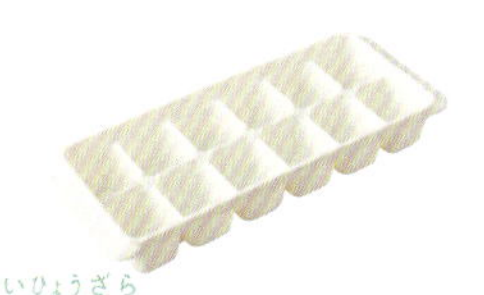

製氷皿

冷凍庫で氷を作るための容器です。ジュースやヨーグルトを固めればアイス作りにも使えます。

アイスメーカー

オリジナルのアイスキャンディーが作れる冷凍容器。ジュースなどの材料を入れ、凍らせて使います。

この本で使うおもな市販品

市販品を使えば、難しそうなお菓子作りもとっても簡単！ まずはこれを準備しよう♪

オレンジジュース

本書ではアイスやドリンクの材料として使います。お菓子作りには果汁100％のものがおすすめです。

サイダー

すっきりした甘みの炭酸飲料。くせが少なく他の材料と相性がよいため、ジュースの材料に向いています。

はちみつ

やさしい甘さと独特の風味が特徴です。スポンジ生地などをしっとりさせる効果もあります。

ホイップクリーム

生クリームに砂糖で甘みをつけて泡立ててあるクリーム。絞り袋に入っているので、時短になります。

粉ゼラチン

ゼリーなどのぷるぷるした食感を作り出す材料。使うときは水に加えてふやかし、熱で溶かして使います。

クッキー、ビスケット

サクサクした食感とやさしい甘さがうれしい焼き菓子。形や味を変えて、アレンジを楽しんで！

アイスコーン

アイスクリームを盛りつける、食べられるコーン。円すい形のタイプや生地の違うタイプもあります。

フルーツ缶

いろいろな種類のフルーツをシロップ漬けにした缶詰。フルーツをむいたり切ったりせずに使えるので便利。

白玉粉

白玉を作るときに使います。もち米が原料で、水を加えて加熱すると、なめらかでもちもちした食感に。

チョコスプレー

カラフルな色合いのミニチョコレートで、単色のものもあります。かわいいトッピングを手軽に追加できます。

ココアパウダー

チョコレートと同じカカオマスを原料にした粉末です。ココア味にしたり、デコレーションにも使えます。

ジャム

果物と砂糖などを煮詰めたもの。甘みと果物の風味、色合いを足せるので、お菓子作りに活躍します。

練乳

砂糖をたっぷり溶かした濃縮牛乳です。材料に入れると、ミルキーな味わいと甘みが出せます。

バニラアイス

バニラ味のアイス。カップのものなら計量いらずで便利。チョコレートやいちごなどでアレンジしても◎

ヨーグルト

さわやかな酸味を加えられる材料です。本書では砂糖の入っていないプレーンヨーグルトを使います。

ギリシャヨーグルト

水分が少なく濃縮された味わいが特徴のヨーグルト。一般的なヨーグルトを水きりしても代用できます。

丸(まる)ごとスイカポンチ

夏(なつ)しかできない！　器(うつわ)もスイカのフルーツポンチ

材料・2人分

小玉スイカ…1/2個
フルーツ缶…100g
サイダー…適量

作りかた

10

1

スイカの果肉をスプーンで丸くくり抜きます。

2

スイカに残った果肉を取り分け、ザルでこして果汁を絞ります。

3

スイカの器に❶、フルーツ缶のフルーツを入れます。

4

❷の果汁、サイダーをふちまで注いでできあがり。

調理のPoint!

くり抜きスプーンがなければ先が丸い計量スプーンなどでもOK！ スイカは冷やしておくと冷たくておいしい♪
❹の果汁、サイダーの量は、スイカの大きさに合わせて調整してね。

アイス
ビスケットサンド

バニラ&マンゴー派？
それともチョコ&ベリー派？

材料・6個分

バニラアイス…1個(200mℓ)
冷凍マンゴー…50g
ココナッツロング…大さじ1
チョコレートアイス…1個(200mℓ)
冷凍ベリー…50g
ビスケット…12枚

作りかた

6

1

ボウルでバニラアイス、冷凍マンゴー、ココナッツロングを混ぜます。

2

別のボウルでチョコレートアイス、冷凍ベリーを混ぜます。

3

それぞれ好きなビスケットにはさみ、1時間ほど冷凍する。

調理のPoint!

いろいろなアイスやビスケットを組み合わせて、自分だけのお気に入りの味を見つけてみて！

パイナップルケーキ

フライパンだけできれいなケーキに！
スポンジは驚(おどろ)きのふんわり加減(かげん)！

材料・18cmのフライパン 1個分

卵…1個
ヨーグルト…100g
はちみつ…大さじ2
ホットケーキミックス…150g
パイナップル(缶詰)…4枚
バター…30g
ココナッツロング…大さじ3

調理のPoint!

ヨーグルトの酸がホットケーキミックスと反応し、ふんわりの焼きあがりに。❺では器をていねいにひっくり返せばそのまま外れるよ。

作りかた

1

ボウルで卵、ヨーグルト、はちみつを混ぜます。

2

ホットケーキミックスを加えてさらに混ぜます。

3

フライパンにパイナップルを並べ、小さくちぎったバターを散らし、ココナッツロングをふります。

4

❷の生地を流し入れて中火で2分焼き、ふたをして表面が乾くまで弱火で焼きます。

5

竹串を刺して生地がつかなくなったら焼き上がり。フライパンに器を当て、ひっくり返して盛りつけます。

ベリーとバナナのジェラート

口の中でトロリと溶ける濃厚ジェラート

まぜまぜアイス

色とりどりのアイスを
パリパリの包みごと、どうぞ!

ベリーとバナナのジェラート

材料・2人分

バナナ…2本
冷凍ベリー…100g
牛乳…大さじ2
はちみつ…大さじ1

作りかた

5

1

バナナを１㎝幅の輪切りにします。

2

❶を保存袋に入れて冷凍します。

3

フードプロセッサーに❷、冷凍ベリー、牛乳、はちみつを入れます。

4

全体がなめらかになるまで攪拌したらできあがり。

調理のPoint!

バナナの粘り気でまるでジェラートみたいな食感♪　バナナは断面を保存袋にくっつけるように入れると、黒くならず、きれいな色で冷凍できる。

まぜまぜアイス

材料・2人分

春巻きの皮…2枚
バニラアイス…1個(200mℓ)
ミニマシュマロ…8個
冷凍ベリー…30g
いちごジャム…大さじ1

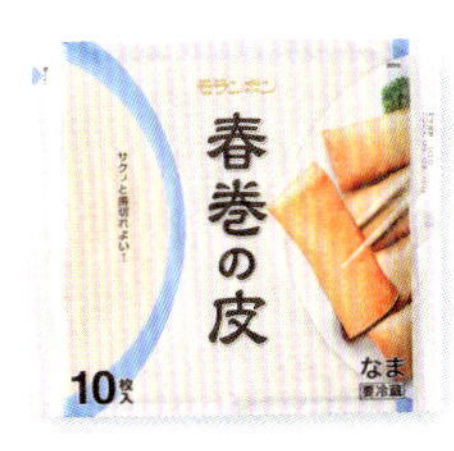

作りかた

10

1 耐熱容器に春巻きの皮を入れ、トースターで焼き色がつくまで2〜3分焼きます。

2 あら熱が取れたら春巻きの皮を容器から取り出します。

3 ボウルでバニラアイス、ミニマシュマロ、冷凍ベリー、いちごジャムを混ぜ合わせます。

4 ❷のカップに❸を盛りつけてできあがり。

調理のPoint!

春巻きの皮はアイスを入れるので、❶で器の形を作ってね。器もアイスと一緒に食べられる♪ ❸で他のものを入れてもOK。ふわふわのマシュマロ、ざくざくのクッキーなど、いろんな食感が一度に楽しめるよ!

フルーツ寿司

ネタは果物、シャリはチーズケーキ風！
チョコレートソースにつけて召し上がれ！

材料・8個分

いちご…適量
キウイ…適量
オレンジ…適量
ラズベリー、ブルーベリー…各適量
カステラ…4個
クリームチーズ…80g
ミント…適量
チョコペン（ホワイト）…適量
チョコレートソース…適量

作りかた

10

1

フルーツを薄切りにします。

2

カステラの茶色い部分を切り落とします。

3

耐熱ボウルにクリームチーズを入れて電子レンジ（600W）で30秒加熱し、カステラを小さくちぎって加えます。

4

ヘラで切るようにして全体を混ぜます。

5

❹を8等分してラップに包み、俵形に形を整えます。

6

❺にフルーツをのせてミント、チョコペンなどでトッピングし、小皿に入れたチョコレートソースを添えます。

調理のPoint!

シャリ（お米）をイメージして、❺では強く握りすぎないようにしてね。カステラのかわりにマフィン、バウムクーヘンでもOK！ 上にのせるフルーツやトッピングを変えると、お寿司みたいにいろいろな種類が作れる♪

しろくまかき氷

袋だけでできちゃう！ かんたんカワイイかき氷

材料・1個分

牛乳…300mℓ
練乳…100mℓ
バニラアイス…適量
フルーツ缶…適量(汁気をきる)
豆かん…適量

作りかた

10

1 カップに保存袋をセットして牛乳、練乳を入れます。

2 保存袋の口を閉じ、やさしくもんで混ぜます。

3 バットに平たく置いて冷凍庫に入れます。

4 2時間後に一度取り出して袋をもんで混ぜ、さらに1時間冷凍します。

5 袋をもんで軽くほぐし、器に盛りつけます。

6 バニラアイス、フルーツ、豆かんなどをトッピングします。

調理の Point!

❶にフルーツを入れたものを製氷皿やアイスメーカーでそのまま凍らせて、しろくまバーにしても◎。
保存袋の中では水分が先に凍るので、❹で一度よくもんで混ぜることで、かき氷のようなふわふわ食感になるよ!

フルーツキャンディー

お祭(まつ)りのりんごあめだってカンタンにできちゃう!

材料・2人分

いちご…2個
みかん…1個
ぶどう…4個
グラニュー糖…50g
水…大さじ2

作りかた

8

1

いちごはヘタを切り落とし、みかんは皮をむいて半分に切ります。フルーツの水気をしっかりきって竹串に刺します。

2

マグカップでグラニュー糖、水を混ぜ、電子レンジ（600W）で約5分加熱します。

3

マグカップの取っ手を持って❶のフルーツをつけます。

4

クッキングシートに取り出して冷まします。

調理のPoint!

❷はあめ状に溶けてやや黄色く色づけばOK。加熱後はとても熱くなるので、マグカップの取っ手を持ってね。❹で取り出すときも、冷めるまで絶対にさわらないで！

しましまティラミス

ほんのりほろ苦(にが)でちょっぴり大人(おとな)の味(あじ)

材料・2個分

- クリームチーズ…120g
- ギリシャヨーグルト…50g
- はちみつ…大さじ2
- インスタントコーヒー…大さじ1
- 砂糖…小さじ1
- お湯…大さじ3
- カステラ…2枚
- ココアパウダー…適量

作りかた

1

耐熱ボウルにクリームチーズを入れて電子レンジ(600W)で20秒加熱し、ギリシャヨーグルト、はちみつを加えて混ぜます。

2

別の容器でインスタントコーヒー、砂糖、お湯を混ぜます。

3

❷にちぎったカステラを加え、混ぜてなじませます。

4

グラスに❸、❶を交互に盛りつけます。

5

ココアパウダーをふるってできあがり。

調理のPoint!

おいしさのコツは、カステラに❷をしっかり染み込ませること！ カステラのかわりにビスケット6枚でも作れるよ。

フルーツ
アイスバー

ピックアイス

いろいろ アイスバー

好きなもの何でもアイスにしちゃおう！

メロン＆スイカバー

ピックアイス

材料・250mlの製氷皿1枚分・16個

ギリシャヨーグルト…200g
はちみつ…大さじ2
お好みのジャム…適量

作りかた

1 ギリシャヨーグルトにはちみつを加えて混ぜます。

2 製氷皿にジャムを小さじ1ずつ入れます。

3 スプーンで❶を均等に加えます。

4 竹串またはピックを刺してひと混ぜし、冷凍庫で凍らせます。

調理のPoint!

❹では竹串をぐるっと混ぜて模様をつけてみて。紙コップ、お菓子の型を使ってもOK。いろいろな形のアイスができるよ♪

フルーツアイスバー

材料・4個分

オレンジジュースまたは、
　りんごジュース…200ml
はちみつ…大さじ2
ブルーベリー…適量
オレンジ…1/2個
キウイ…1個

調理のPoint!

この他にもぶどうなど、100%のフルーツジュースなら何でもOK。型に刺す棒はフルーツではさめばOK。アイスメーカーから外すときは、常温に数分置いてから外してね。

作りかた

1

オレンジジュース、りんごジュースにはちみつ各大さじ1を加えて混ぜます。

2

アイスメーカーにブルーベリー、皮をむいて薄切りにしたオレンジ、キウイを入れます。

3

❶を注いで棒を刺し、冷蔵庫で4時間凍らせます。

メロン＆スイカバー

材料・8個分

スイカ…4切れ
メロン…4切れ
塩…適量

作りかた

1

スイカとメロンは食べやすい大きさに切り、皮に包丁の先で切れ目を入れます。

2

❶の切れ目に棒を刺し、クッキングシートを敷いたバットに並べて冷凍します。食べるときはお好みで塩をかけてください。

調理の Point!

❶で力を入れると包丁が滑ることがあるので、刃が向いている方には絶対手を置かないで！

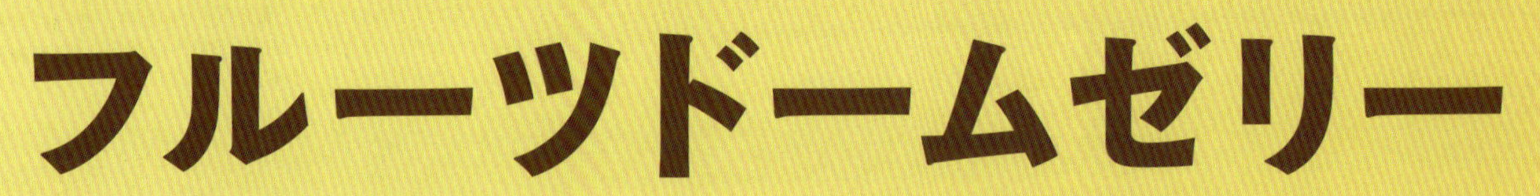

フルーツドームゼリー

暑い夏、ツルンと食べられる
ゼリーケーキはいかが？

材料・2人分・15㎝ボウル1個分

水…50㎖
粉ゼラチン…10g
カルピスウォーター…300㎖
グラニュー糖…大さじ2
フルーツ缶…250g

作りかた

5

1 水に粉ゼラチンを入れてふやかしておきます。

2 耐熱ボウルにカルピス、グラニュー糖を入れ、電子レンジ（600W）で2分30秒加熱。❶を加えて混ぜ、電子レンジでさらに30秒加熱して、しっかり溶かします。

3 フルーツ缶を加えて混ぜ、冷蔵庫で5～6時間冷やします。

4 お湯を張ったボウルに❸の底を約30秒当てます。

5 器にボウルを当ててひっくり返し、食べやすい大きさに切り分けます。

調理のPoint!

❺でボウルからうまく外れなければ、様子を見ながら追加で10秒ずつお湯に当ててみて。ゼラチンは熱で溶けるので、ボウルから外すときや、切るときは熱を利用するのがおすすめ。お湯で温めた包丁を使うと切り口もきれい♪

黒みつ きなこもちアイス

熱いおもちと冷たいアイスの幸せな出会い♥

材料・2人分

白玉粉…大さじ3
片栗粉…小さじ1
水…120㎖
砂糖…大さじ1
バニラアイス…1カップ（200㎖）
きなこ…大さじ2
黒蜜…適量

作りかた

6

1

耐熱ボウルで白玉粉、片栗粉、水、砂糖を混ぜ合わせます。

2

電子レンジ（600W）で3分加熱し、全体がなじむまで練ります。

3

別のボウルでバニラアイス、きなこを混ぜます。

4

器に❸を盛りつけて❷をのせます。

5

黒蜜をかけてできあがり。

調理のPoint!

冷たいアイスと熱いおもちの温度差がポイントなので、おもちが冷めないうちに召し上がれ！　❷では全体がよくなじむまでしっかり練ってね。抹茶アイスにのせても◎

お祭りチョコバナナ

チョコもトッピングも好きなだけどうぞ♪

材料・6本分

バナナ…3本
板チョコレート…2枚
サラダ油…小さじ2
チョコスプレー…適量
ダイスアーモンド、
ココナッツロング…各適量

作りかた

5

1 バナナはあらかじめ冷蔵庫で冷やしておき、半分に切り、割り箸に刺します。

2 耐熱ボウルに小さく割ったチョコレートを入れ、電子レンジ(600W)で1分30秒加熱し、サラダ油を加えてしっかり混ぜます。

3 バナナにチョコレートをつけます。

4 チョコレートが乾かないうちにチョコスプレーなどをトッピングします。

5 深めのグラス、発泡スチロールなどに固定して乾かします。

調理の Point!

ホワイトチョコレートで作っても、色とりどりで◎。凍らせてアイスにするのもおすすめ！ バナナを冷やしておくとチョコレートがすぐに固まって簡単だよ。時間をかけるとチョコが固まってしまうので、作業は手早く！ 固くなったら電子レンジで再加熱してね。

夏のドリンク

冷たいドリンクでリフレッシュして、暑さにうち勝て！

レモネード

栄養いっぱいで元気の出る甘酸っぱさ！

材料・2人分

レモン…1個
はちみつ…大さじ2
砂糖…50g
氷…適量
炭酸水…適量

作りかた 5

❶レモンを薄切りにしてはちみつと砂糖を加え、電子レンジ(600W)で2分加熱します。
❷グラスに①、氷を入れて炭酸水を注ぎます。

メロンクリームソーダ

すっきりとしたメロンの甘みが広がる♪

材料・2人分

メロン…200g
氷…適量
サイダー…100mℓ
レモン汁…大さじ1
バニラアイス、
さくらんぼ…各適量

作りかた 5

❶メロンは皮と種を取り除いて適当な大きさに切り、フードプロセッサーにかけます。
❷グラスに氷を入れて①、レモン汁、サイダーを注ぎ、バニラアイス、さくらんぼをのせます。

タピオカフルーツカルピス

タピオカのつるんとした喉越しがGOOD!

材料・2人分

氷…適量

カラータピオカ…適量

フルーツ缶…80g

カルピスウォーター…200mℓ

作りかた ③

❶グラスに氷、タピオカ、水気をきったフルーツ缶を入れます。

❷カルピスウォーターを注ぎます。

チョコフラペチーノ

ポリ袋とアイスでカンタンにできちゃう!

材料・2人分

チョコレートアイス…1個(200mℓ)

牛乳…100mℓ

ホイップクリーム、ココアクッキー、
　ココアパウダー…各適量

作りかた ⑤

❶ポリ袋にチョコレートアイス、牛乳を入れて軽くもみます。

❷グラスに①を注いでホイップクリームを絞り、ココアクッキーを割りながらのせ、ココアパウダーをふります。

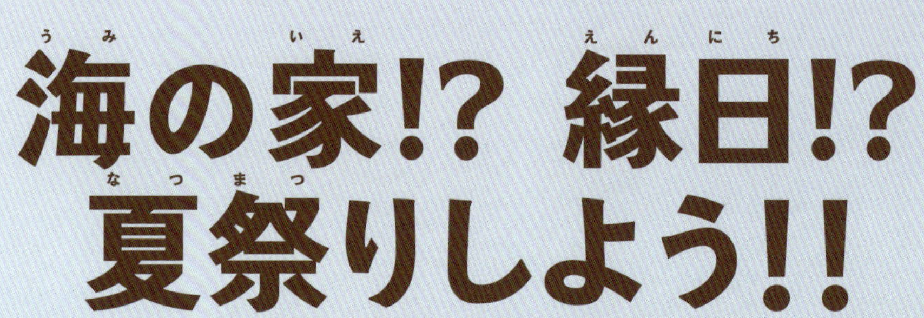

海の家!? 縁日!? 夏祭りしよう!!

夏は元気に遊ぶ季節。
お祭りみたいにディスプレイして、楽しんじゃおう!

A

B

COLUMN

スタイリングのコツ

誰でもカンタン!

A 使っている食器はストロー、紙コップ、スティック、紙皿など、すべて使い捨ての素材。洗い物が減って片づけもとっても簡単♪

B フルーツキャンディー、チョコバナナはスティックで取り分けられます。スイカポンチにはカラフルな紙コップを用意し、お祭り気分でいただきましょう。

C チョコバナナの台座は、穴を開けた発泡スチロール。シールを貼るだけで雰囲気もガラッと変わってかわいくなります。

D キャンディーの旗はマスキングテープを二つ折りにしたもの。スイカポンチのパラソルも100円ショップで買えます。手軽なものでかわいさもアップ!

E マフィンカップをはさみでカットすればかわいい器のできあがり! フルーツキャンディーを盛りつけ、トッピングシュガーをまぶしました。

誰でもカンタン!

COLUMN

スタイリングのコツ

パーラースタイルで夏スイーツを楽しもう！

ジェラートやフルーツアイスバーをお店みたいに並べると気分もUP!

A バットに入れたジェラートはアイスディッシャーでコーンとカップに取り分けましょう。コーンスリーブも折り紙で簡単に作れちゃう！

B 色あざやかなスイーツがたくさん。そんなときはあえてシンプルなトレーなどに入れて並べると、お店のような雰囲気になります。

C それぞれのスイーツとアイスの名前をプレートにして飾りつけ。ほんのちょっとの工夫で、パーラーのようなイメージに。

D メロン＆スイカバー、フルーツアイスバーは氷を張った平らなバットに盛りつけ。溶けずに長持ちするし、好きなものを選べます！

E アイスのクッキーサンドはお店みたいにトングで取り分け、キュートな紙ナプキンで包んで食べてみよう。見た目もかわいくて、楽しい♪

カンタンなのにかわいい★

10分でイベントスイーツ 夏

著者　木村 遥
フードコーディネーター／スタイリスト

書籍、雑誌、広告などで
フードコーディネート、
スタイリングなどを手がける。

料理研究家、スタイリストの
アシスタントを経て独立。
＋
お仕事の中では、
お菓子を作ったり
食べる時間の楽しさを
表現するのが特にすき。

アシスタント ……………川端菜月
制作協力………………株式会社Ａ.Ｉ
撮影……………………福井裕子
カバー・本文デザイン ……羽賀ゆかり

材料協力………………株式会社富澤商店
オンラインショップ https://tomiz.com/
電話番号:0570-001919

著　者　木村 遥

発行者　鈴木博喜
編　集　池田菜採
発行所　株式会社理論社
〒101-0062　東京都千代田区神田駿河台2-5
電話　営業03-6264-8890　編集03-6264-8891
URL　https://www.rironsha.com

2024年4月初版
2024年4月第1刷発行

印刷・製本　図書印刷　上製加工本

ISBN978-4-652-20614-0 NDC596 A4変型判 27cm 39p

10分スイーツ

全4巻 A4変型判 40ページ
各2800円(税別) C8377 NDC596

10分スイーツ 春・夏
978-4-652-20029-2

10分スイーツ 秋・冬
978-4-652-20030-8

15分でカフェごはん

全4巻 A4変型判 40ページ
各2800円(税別) C8377 NDC596

15分でカフェごはん 春
978-4-652-20159-6

15分でカフェごはん 夏
978-4-652-20160-2

15分でカフェごはん 秋
978-4-652-20161-9

15分でカフェごはん 冬
978-4-652-20162-6

10分スイーツ&100円ラッピング

全4巻 A4変型判 40ページ
各2800円(税別) C8377 NDC596

15分でカフェごはん 春
978-4-652-20159-6

15分でカフェごはん 夏
978-4-652-20160-2

15分でカフェごはん 秋
978-4-652-20161-9

15分でカフェごはん 冬
978-4-652-20162-6